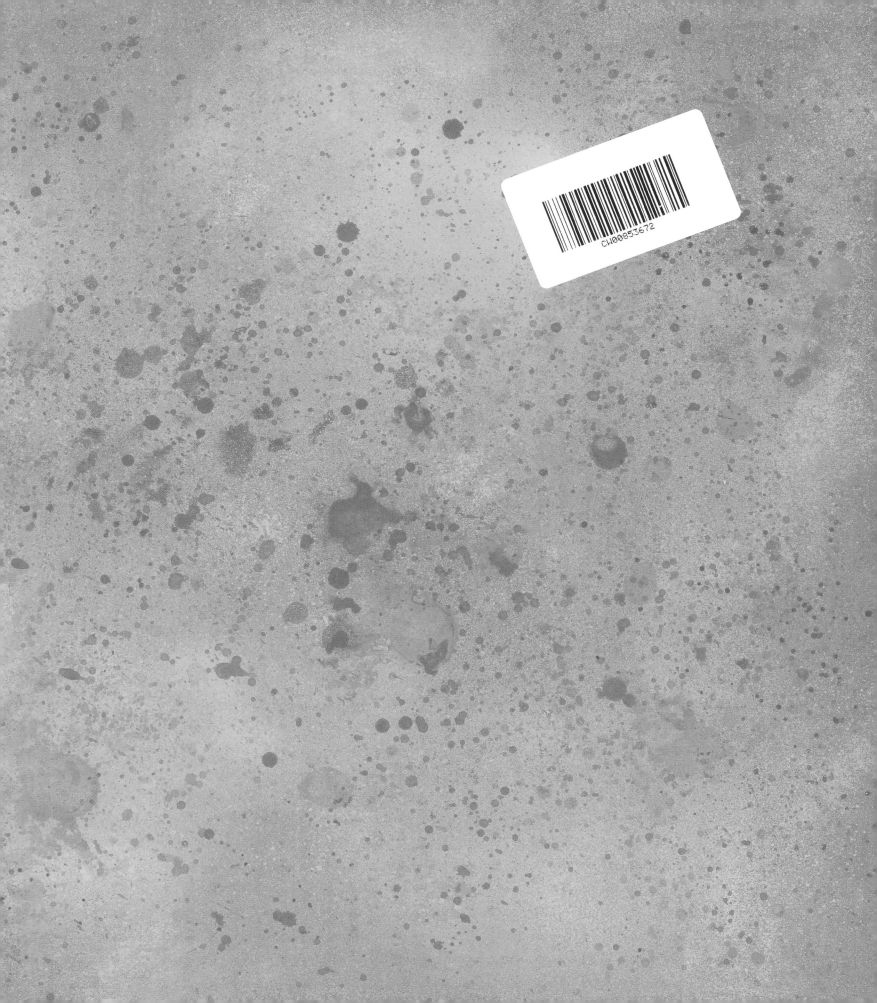

CW00853672

I'm merched Hannah ac Iola, sy'n estyn am y sêr – CB

I Mam a Dad, â chariad – SW

I'm mab Sebastian – fy seren ddisglair yn yr awyr – AH

**Hoffai'r cyhoeddwyr a'r awduron ddiolch i Monica Grady,
Athro Gwyddoniaeth y Planedau a'r Gofod yn y Brifysgol Agored, am ei
chyngor amhrisiadwy a'i chefnogaeth fel ymgynghorydd gwyddoniaeth y llyfr hwn.**

Cyhoeddwyd gan Rily Publications Ltd, Blwch Post 257, Caerffili CF83 9FL
Hawlfraint yr addasiad © 2017 Rily Publications Ltd
Addasiad Cymraeg gan Siân Lewis

ISBN 978-1-84967-399-0

Cyhoeddwyd yn wreiddiol yn Saesneg yn 2017 dan y teitl
The Story of Space gan gan Frances Lincoln Children's Books,
74–77 White Lion Street, Llundain N1 9PF

Hawlfraint y testun © Catherine Barr a Steve Williams 2017

Hawlfraint y darluniau © Amy Husband 2017

Mae'r cyhoeddwr yn cydnabod cefnogaeth ariannol Cyngor Llyfrau Cymru.

Argraffwyd yn China

Stori'r
GOFOD
Llyfr cyntaf am ein bydysawd

Catherine Barr a **Steve Williams**
Darluniwyd gan **Amy Husband**
Addasiad **Siân Lewis**

rily.co.uk

Dechreuodd y ffrwydrad chwilboeth oeri.

Ffurfiodd darnau o'r ffrwydrad bethau bach, bach o'r enw atomau, gan greu nwy a llwch. Troellodd y nwy a chlystyru. Aeth yn boethach a phoethach, nes llosgi a disgleirio.

Llwybr Llaethog

twll du anferthol

Deneb

Polaris

seren las-wyn

seren gawraidd wen

Regulus

seren gawraidd felen

Dros amser, goleuwyd y bydysawd gan driliynau o sêr. Fel ni, caiff seren ei geni, ac yna mae'n heneiddio a marw. Yn wahanol i ni, mae sêr yn byw am biliynau o flynyddoedd, felly mae llawer o'r sêr cyntaf hyn yn dal i ddisgleirio heddiw.

Yn ystod eu bywyd, mae'r sêr yn newid eu lliwiau. Mae'r sêr poethaf yn edrych braidd yn las, a'r sêr oerach yn wyn, melyn a choch. Mae sêr cawraidd yn enfawr, a'r sêr corrach yn llai. Sêr corrach coch yw'r mwyaf cyffredin.

Amser maith ar ôl y Glec Fawr, ganwyd
seren felen ddisglair, sef ein Haul ni.
Pelen enfawr o nwy poeth yw'r Haul.
Mae dros filiwn o weithiau'n fwy na'r Ddaear.

Mae'r Haul yn anhygoel o boeth, a'i ganol
yn ffwrnais danllyd. Llithra smotiau duon,
oerach dros ei wyneb. Mae gwynt solar
ffyrnig yn troelli a llifo i ddyfnder y gofod.

Yn ein galaeth ni, sef y Llwybr Llaethog,
mae biliynau o sêr 'run fath â'r Haul.

Mae popeth yn troi!
Mawrth
Mercher
Daear
Gwener
Yr Haul
4.5 biliwn o flynyddoedd yn ôl

Dros amser, ar ôl i'r Haul gael ei eni, clystyrodd y llwch a'r nwy oedd dros ben, a chreu planedau.

Yn agos i'r Haul, ffurfiodd y llwch blanedau creigiog Mercher, Gwener, Daear a Mawrth. Yn y tywyllwch rhewllyd ymhell o wres yr Haul, ffurfiwyd Iau, Sadwrn, Wranws a Neifion o lwch a nwy ac iâ.

Chwyrlïodd y planedau newydd hyn ar ras wyllt o gwmpas eu seren felen. Dyna ddechrau Cysawd ein Haul ni.

y gofod pell

Neifion

Iau

Wranws

Sadwrn

Mae 'mhen i'n troi hefyd!

comedau

Waaw! Mae hwnna'n ENFAWR!

Yn ogystal â phlanedau, roedd talpiau o graig ac iâ, o'r enw comedau, yn gwibio o gwmpas yr Haul.

Hefyd roedd asteroidau, sef lympiau o graig a metel, yn cylchu'r Haul. Trawodd sawl un yn erbyn y Ddaear. Fel canlyniad, poethodd yr wyneb. Toddodd y creigiau a throi'n llynnoedd o lafa berwedig.

Yn fuan ar ôl i'r Ddaear gael ei ffurfio, gwibiodd asteroid mor fawr â phlaned drwy'r gofod, a tharo yn ei herbyn. Tasgodd darnau o graig i'r gofod, a glynu wrth ei gilydd ymhen amser i greu ein Lleuad oer a llychlyd.

4.5 biliwn o flynyddoedd yn ôl

asteroidau

cynffon comed

gwregys yr asteroidau

Roedd y gwrthdrawiad hwn mor ffyrnig, gwthiwyd y Ddaear i un ochr. Felly dechreuodd ein planed wyro oddi wrth ei seren.

Haul

lafa berwedig

Heddiw, mae'r gwyriad hwn yn creu tymhorau, wrth i wahanol rannau o'r Ddaear gynhesu neu oeri ar y daith hyd blwyddyn o gwmpas yr Haul.

Dechreuodd y tymheredd ar y Ddaear ddisgyn, a throdd y lafa berwedig ar ei hwyneb yn graig solet.

Glawiodd am filoedd o flynyddoedd, gan greu moroedd mawr. Yn y moroedd hyn ymddangosodd y pethau byw cyntaf. Dechreuodd y celloedd cynnar hyn gynhyrchu ocsigen, sef y nwy mae pawb yn ei anadlu heddiw.

y Ddaear heddiw

3.8 biliwn o flynyddoedd yn ôl – heddiw

Dros biliynau o flynyddoedd, wrth i'r ocsigen ymledu, ymddangosodd bywyd o bob math ar ein Daear laswyrdd.

Weithiau byddai asteroidau a chomedau'n taro yn erbyn y Ddaear, gan fygwth pob peth byw. Ond, yn rhyfedd iawn, llwyddodd rhai anifeiliaid a phlanhigion i oroesi a chynyddu. Dim ond tair miliwn o flynyddoedd yn ôl, esblygodd anifeiliaid newydd sy'n newid ein byd: pobl!

Iau

Dwi'n falch ein bod ni'n byw fan hyn.

Mae bywyd ar y Ddaear yn dibynnu ar ein hatmosffer, sef y flanced denau o nwyon sy o gwmpas y glob. Mae'n dal y gwres a'r ocsigen sy'n hanfodol i bobl a phethau byw eraill.

Ond yn y gofod, mae'n ddychrynllyd o oer, a does dim aer. Mae atmosffer y planedau eraill yn rhewllyd, gwenwynig a marwol. Niwl melyn asidig sy ar y blaned Gwener, ac mae mellt enfawr yn tasgu drwy'r stormydd coch ar Iau. Mae gan Sadwrn gylchoedd o iâ, a gwyntoedd oren ffyrnig.

O'r Ddaear, mae pobl yn ceisio deall y planedau hyn a phopeth arall sy'n troi o'u cwmpas.

5,000 o flynyddoedd yn ôl – heddiw

Ar y dechrau roedd seryddwyr yn archwilio'r gofod drwy syllu ar y sêr. Fe ddyfeision nhw'r telesgop i'w helpu.

Darganfuon nhw graterau ar y Lleuad a gweld cylchoedd Sadwrn. Roedd y bydysawd yn ymddangos yn llawn dirgelwch, ac yn newid o hyd. Yna, dros amser, gyda help mathemateg a mapiau, dechreuodd y seryddwyr ei ddeall a'i egluro.

Gwnaethon nhw fapiau o'r sêr yn ein galaeth, y Llwybr Llaethog, a syllu ar y biliynau o alaethau eraill yn ymestyn fel gwe pry cop ar draws yr awyr. Gwelson nhw leuadau'n troi o gwmpas planedau a phlanedau'n troi o gwmpas sêr – pob un yn ei drefn.

Deallodd y seryddwyr fod grymoedd rhyfedd yn rheoli popeth yn y bydysawd.

Mae egni tywyll yn dal i wthio popeth
yn y gofod oddi wrth ei gilydd,
a disgyrchiant yn tynnu
popeth tuag at ei gilydd.
Mae gan bethau mawr,
fel planedau,
ddisgyrchiant
cryf iawn.

twll du

Ar y Ddaear, mae
disgyrchiant yn ein
cadw rhag syrthio oddi
ar y blaned. Yn y gofod mae'n
tynnu planedau o gwmpas sêr,
ac yn ffurfio galaethau drwy dynnu
sêr o gwmpas tyllau du enfawr.

Mae'r twll du yn lle tywyll a rhyfedd iawn.
Yno mae disgyrchiant yn gryfach nag yn unman
arall. Mae'n sugno golau i'w grombil, hyd yn oed.

Laika'r ci

Daear

1942 – 1969

Ymhen amser dysgodd gwyddonwyr sut i ddianc rhag disgyrchiant y Ddaear – drwy saethu i'r awyr mewn roced. Roedd y Ras i'r Gofod wedi dechrau.

Teithiodd anifeiliaid i'r gofod yn gyntaf, yna pobl wedi'u strapio i'w seddau. Yuri oedd enw'r dyn cyntaf, a Valentina oedd y fenyw gyntaf. Rwsiaid oedd y ddau. Fe deithion nhw o gwmpas y glob mewn llai na dwy awr.

Yna, yn 1969, daliodd pawb eu gwynt wrth i roced Americanaidd Apollo 11 wibio i'r gofod i wneud rhywbeth newydd a rhyfeddol – glanio ar y Lleuad.

Cripiodd y gofodwyr drwy ddrws bach eu llong ofod, yr Eryr. Am y tro cyntaf erioed roedd dynion yn sefyll ar rywle yn y bydysawd heblaw'r Ddaear.

olion traed

Gan fod y Lleuad yn llai o lawer na'r Ddaear, a'i disgyrchiant yn wan, sbonciai'r gofodwyr ar ei hwyneb llychlyd. Roedden nhw wedi ymarfer mewn pyllau nofio yn eu siwtiau gofod, gan fod symud drwy ddŵr yn go debyg i gerdded ar y Lleuad.

1969

Fe dynnon nhw luniau, casglu llwch y lleuad, a ffonio adre. Gadawson nhw olion traed, sy'n dal yno, achos does dim aer na dŵr i'w sgubo i ffwrdd. Gwibiodd y gofodwyr eu hunain yn ôl i'r Ddaear yn eu roced.

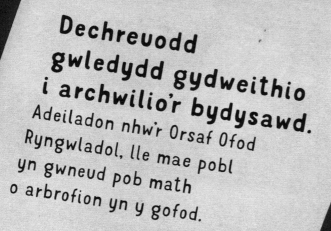

Dechreuodd gwledydd gydweithio i archwilio'r bydysawd. Adeiladon nhw'r Orsaf Ofod Ryngwladol, lle mae pobl yn gwneud pob math o arbrofion yn y gofod.

Mae llongau gofod a'u robotiaid wedi glanio ar blanedau Gwener a Mawrth, a hyd yn oed ar gomed. Mae chwiliedyddion wedi troi o gwmpas planedau Mercher, Sadwrn ac Iau, ac mae rhai'n gwibio ymlaen am byth i'r gofod pell.

Mae cannoedd o loerennau'n troi o gwmpas y Ddaear. Yn eu plith mae llawer o'n sbwriel gofod ni. Ond mae lloerennau eraill yn tynnu lluniau sy'n ein helpu i ddeall y tywydd, ac yn tasgu signalau i'r Ddaear i alluogi ein teledu a'n ffonau i weithio.

sbwriel gofod

Amser a phellter yw ein problemau mwyaf wrth geisio archwilio'r gofod. Byddai'n cymryd tua 4 biliwn o flynyddoedd dim ond i gyrraedd pen pellaf ein galaeth ni.

Cyn hir bydd llongau gofod arbennig yn mynd â phobl yno ar wyliau, ac mae gofodwyr yn gobeithio glanio a byw ar y blaned Mawrth.

Dwi eisiau archwilio'r gofod!

y gofod pell

Mawrth

gwesty gofod

Her arall, gyffrous iawn, yw chwilio am arwyddion bywyd ar leuadau a phlanedau eraill. Go brin mai ni yw'r unig bobl yn y bydysawd.

Tybed beth ddaw i'r golwg yn y dyfodol, wrth i ni ddatrys dirgelion y lle rhyfeddol hwn: y gofod.

Rhestr o eiriau defnyddiol

Asteroid – lwmp o graig a metel sy'n troi o gwmpas yr Haul.

Atomau – y blociau adeiladu lleiaf ar gyfer popeth yn y bydysawd.

Bydysawd – gofod a ffurfiwyd gan y Glec Fawr. Mae'n cynnwys popeth sy'n bodoli.

Clec Fawr – y foment pan gychwynnodd amser a gofod, gan greu ein bydysawd.

Comed – pelen o iâ, llwch a chraig sy'n mynd o gwmpas yr Haul. Wrth droi'n nes at yr Haul, mae'n tyfu cynffon o lwch ac iâ.

Cylchdro – llwybr crwm un peth o gwmpas peth arall.

Cysawd yr Haul – ein Haul ni a phopeth sy'n troi o'i gwmpas, gan gynnwys y Ddaear.

Disgyrchiant – grym sy'n tynnu pethau tuag at ei gilydd.

Egni tywyll – grym a grëwyd gan y Glec Fawr, sy'n dal i wthio popeth yn y bydysawd tuag at allan.

y dyfodol

heddiw

Galaeth – biliynau o sêr, nwy a llwch a gedwir yn eu lle gan ddisgyrchiant.

Gofodwr – rhywun sy'n teithio i'r gofod ac yn ei archwilio.

Lleuad – rhywbeth sy'n troi o gwmpas planed.

Lloeren – rhywbeth sy'n symud o gwmpas rhywbeth arall yn y gofod.

Llwybr Llaethog – galaeth o sêr, sy'n cynnwys Cysawd ein Haul ni.

Ocsigen – nwy sy'n ffurfio tua phumed ran o'n hatmosffer ni, gan roi egni sy'n galluogi'r rhan fwyaf o bethau byw i oroesi a thyfu.

Seren – pelen o nwy poeth iawn sy'n rhoi'r egni i greu golau.

Seryddwr – rhywun sy'n astudio'r sêr a'r planedau.

Twll du – lle, yn y gofod pell, sy â disgyrchiant mor gryf, mae'n llyncu golau hyd yn oed.

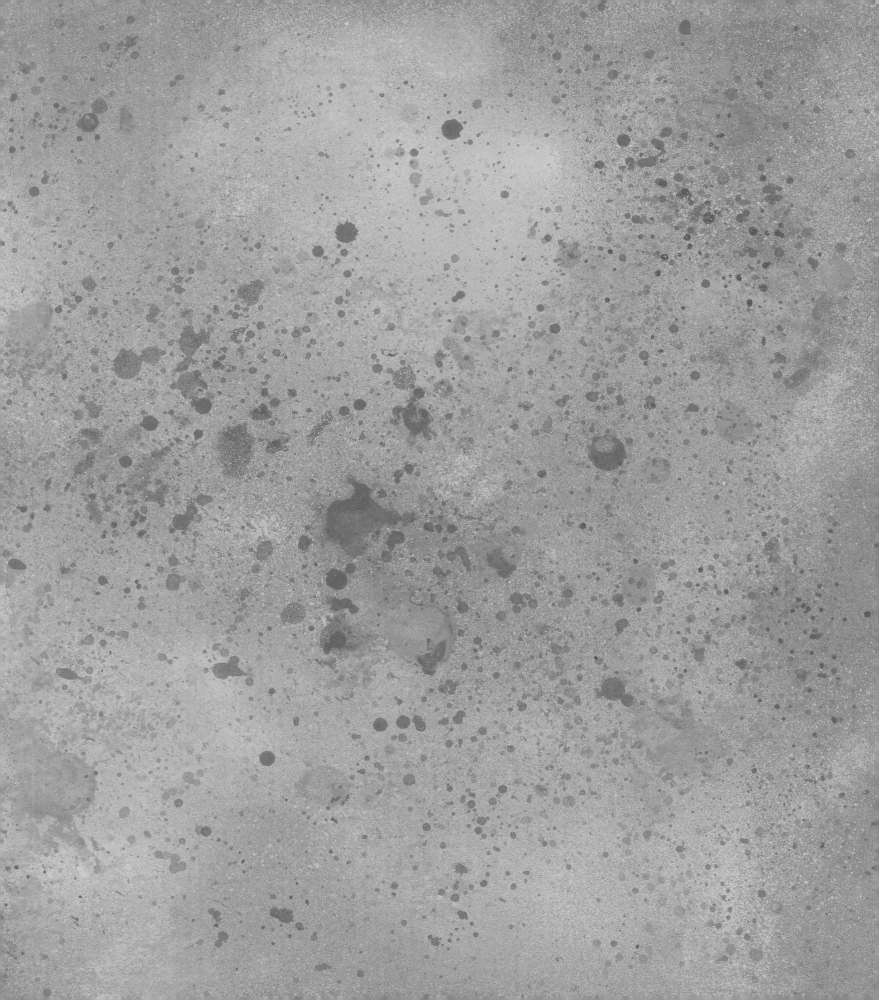